主要登場人物介紹＆故事大綱

宇智波佐助

漩渦鳴人

春野櫻

旗木卡卡西

大和

祭

自來也

綱手

重吾

香燐

水月

小南

培因

宇智波斑

志摩

深作

宇智波鼬

── 前 情 提 要 ──

原為木葉忍者村忍者學校中的問題學生鳴人，終於與佐助、小櫻一起成為忍者了。鳴人他們在經歷許多考驗與戰鬥之後，漸漸的成長。但是佐助還沒有放棄報仇這個願望，因為想得到大蛇丸的力量而離開村子……

過了兩年多後，結束修行的鳴人，與想得到「尾獸」而暗中活動的「曉」發生激戰。另一方面，佐助在與鼬的壯烈對決中獲勝，但佐助得知了哥哥的真正想法，決定與「曉」聯手，為了毀滅木葉忍者村展開行動。

因為想得到擁有九尾妖狐尾獸的鳴人，「曉」的領導人培因襲擊木葉忍者村！他用自己極具威脅性的能力踩躪村子。回到村子裡的鳴人，發揮出仙術修行的成果對抗敵人，但是……

NARUTO
—火影忍者—

卷之四十七

封印破壞!!

目 次

433：仙術失敗…？

8

那不是…

看來那就是培因的關鍵人物。

那是什麼?

爺爺仙人說有個傢伙能夠讓人復活。

那個培因大概就是擁有那種能力的人。

所以當敵人擺出陣式的時候,

那個培因就退到最後面去。

而最麻煩是左邊那個培因…

他能夠把所有的術與攻擊都彈開,還能夠把物體吸過去。

但是他還沒有使出那個力量…這也有點奇怪…

現在他沒辦法使用能力,可能也是有原因的。

是變身術！
這是本體啊！

這樣就沒辦法躲開了！

贏定啦！

仙術・螺旋連丸！！！

什麼？

那時候他已經……

利用煙霧跳到上面去了。

沒事…

你沒事吧?

可惡！那到底是什麼術？

看來成為中心的培因，已經能夠使用能力了。

所以他到剛剛為止都沒辦法用那種術啊。

……怎麼辦？

忍術與體術對他都沒用…

而且使用的力量越大，到下一次使出術之間的空檔就會越大。

村子會毀滅，大概也是因為他使用的術。

只有五秒啊⋯⋯

那個培因在施術之後，到下一次施術之前，基本上有五秒的空檔，

丁次告訴我們：

我們只能利用那五秒鐘攻擊。

就跟之前一樣！

看來只能對他用幻術了，

神羅天征。

交給我們吧！

但是要怎麼做？

我不會用幻術啊！

嗚噗嗚噗

鳴人？

鳴人正在跟培因交戰。

怎麼了？

到底怎麼了？

怎麼了？

既然這樣…我們只能相信他了。

汪！

他獨自在戰鬥嗎？

是的…他要大家別插手。

交戰？

拉，
但是這個幻術要用掉許多仙術查克拉能使出來。

也就是說需要花一些時間才。

快用幻術吧！

可惡…連老大他們都…

如果把仙術查克拉都用盡，那就會跟我現在的一樣，無法在戰鬥中製造出需要靠「不要動」來製造的仙術查克拉了。

但是，能幫你製造仙術查克拉的影分身只剩下一個人…

你們把仙術查克拉製造出來之後就動手吧！

我會抓那五秒的空檔下手吧！

而且你現在的仙人模式已經撐不了五分鐘。

這就跟看右邊的時候要同時看左邊是同樣的意思。

讓影分身去製造需要靠「不要動」來製造的查克拉…這個想法很棒，

但是為什麼不能讓影分身的人數增加呢？

雖然已經分配好工作，但是製造仙術查克拉並不容易，

所以影分身身最多只能分成兩個人。

原來如此…

也就是說拖太久真的很危險…

而且用在這裡的戰鬥影分身，最多也只能分成三個人…

如果到處分出太多人，反而會打亂製造仙術查克拉那邊的影分身。

讓事情結束掉吧。

嗚人！

抱歉！嗚人，撐下去吧！

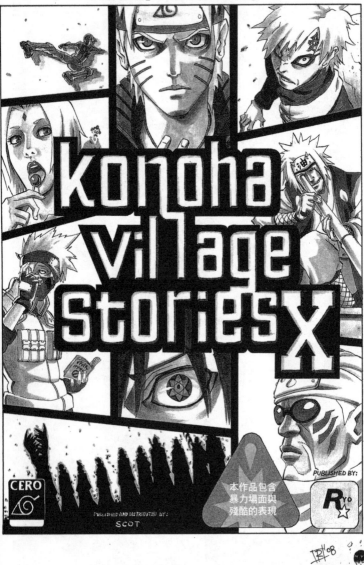

435：萬象天引

還沒…

還沒結束…

真是難纏啊。

ドドドド…

嗚人，撑下去啊！

…！

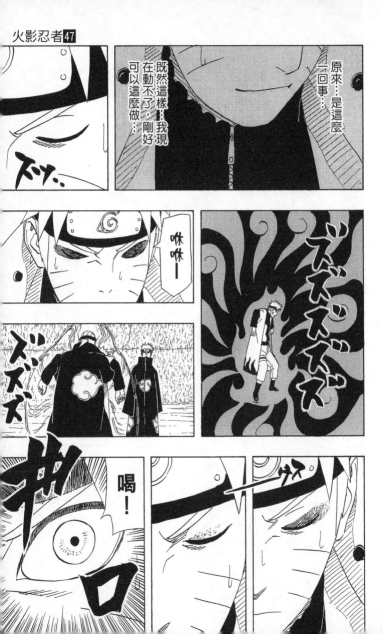

喝啊——！

嗯⋯你好像有點誤會了。

?

這樣就剩下你一個人了⋯

仙術查克拉⋯看來有相當的風險。

我已經受夠那種幻術了。

死鬼！

54

敵人很厲害。

死鬼！

你這傢伙…

啊

嗚⋯

你到底是誰？

到底是誰啊！

為什麼要做這種事情？

嗚⋯

事情總是會突然發生，理由則是後來才會發現。

啊⋯為什麼⋯

跟培因接觸過的人…

透過活蛹盡量去收集詳細的情報。

…這個狀況

好吧…我就跟你透露一些。

……！

即使是死去的人，可能也握有一些情報。

就算把屍體搬出來，也要徹底地收集情報！

搬屍體…

等等…

原來如此…我搞懂了！

平 健史

什麼意思？

你發現什麼事情？

我知道⋯培因的本體在哪裡了！

那是⋯

我在看自來也大人抓回來的那個雨忍者村忍者的腦袋時發現的事情。

那個男人曾經跟他的夥伴一起從事搬屍體的工作。

你知道我們把屍體搬過去的那個村子中最高的塔裡⋯有什麼東西嗎？

搬運屍體？

沒錯，我聽到你剛剛說的話後就想到了。

注意聽了，第一點…

要發送查克拉訊號，就必須盡量靠近收訊的一方，這是最基本的常識。

而那個男人把屍體搬到雨忍者村…

許多高塔中最高的那一座塔。

聽說…培因大人就在那裡呢。

而且據說雨忍者村的人們都傳說培因就在最高的塔之中。

長得跟被搬進高塔的屍體一樣…

而以培因身分出現的女人…

這表示那座高塔就是實驗場，把作為查克拉接收器的黑色柱狀物放進屍體裡，藉此製造出培因。

那…這跟找出培因的本體有什麼關係？

原來如此…也就是說，

要將查克拉的訊號送出去時，就要待在最有效率的地方——

培因的本體，就在木葉忍者村附近最高的地方…

也就是為了把訊號送到更遠的地方去，就必須待在最高的高塔裡！

好！

那我們去徹底地搜索高處。

可惡…

你問我「為什麼要做這種事情？」

即使我把理由告訴你，事情也不會有任何改變。

但如果我們好好談談……

結果會怎麼樣呢……

我的目的就是……連自來也老師都做不到的事情……

這一點我剛剛提過了吧……

………

也就是創造
和平，成就
正義。

和平？

正義？

別鬧了…

別鬧了！

你把我的
師父！

我的老
師！

我的夥伴！

弄成這個
樣子！

你沒有資格說
這種大話！

還有我的
村子！

ギギッ

ギギッ

弄成像這個樣子的你們這些木葉忍者村的忍者們…

怎麼可以提到和平與正義呢？

什麼意思？

……!?

火之國…還有木葉忍者村都變得太巨大了…

為了保護國家的利益，就必須在大國之間的戰鬥中，替自己的國家爭取利益。

不然國家…還有村民就會飢餓。

所以成為大國戰場的地方，就是我們這些小國家與村子。

每次我們的國家都會被入侵，也因此變得殘破…

任何人失去珍惜的東西，感受到的痛楚都是一樣的。

你跟我都深深了解那種痛楚。

你為了你的正義⋯⋯我為了我的正義。

我們都是為了被稱為正義的復仇而採取行動的普通人。

但如果把復仇稱為正義，那種正義只會產生出更多的復仇⋯⋯

並且創造出憎恨的連鎖。

現在我就活在這種事情之間，而且還能得知過去、感應未來。

我也知道那就是歷史。

我被迫了解到人是絕對無法彼此理解的生物。

忍者的世界是被憎恨所控制的。

可是…

我也知道忍者世界裡充滿憎恨。

…憎恨…

我想要想個辦法消除這種憎恨，

但我不知道該怎麼做…

可是…我相信

總有一天，人們能夠確實互相理解的時代會真的來臨！

聽起來好困難喔。

74

敬禮

好！

既然是好色仙人託付的，那就沒辦法啦！

如果沒有找到答案，那我就把那個答案託付給你吧！

為了建立和平，你要怎麼面對這種憎恨？

‥‥‥‥

把你的答案告訴我吧。

‥‥‥‥

這…

．．．．．．

我不知道…

我能夠做到這點…而且為了做到這點…我需要九尾妖狐的力量。

我要用所有尾獸的力量，創造出比我用來毀滅這個村子的力量還要強上幾十倍的尾獸武器。

這樣就能在一瞬間毀滅一個國家。

就是為了阻止這種憎恨的連鎖，才會成立「曉」。

我…

437：告白

你說我的和平是虛假的，

但是在這個受到詛咒的世界裡，人們彼此互相理解的和平才是最空虛的。

好色仙人相信人們能夠真的互相理解的時代會來臨！

他跟你不一樣！

可是我相信總有一天，人們能夠確實互相理解的時代會真的來臨！

基本上最好是兩人一組一起行動。

即使找到敵人的本體，也不要輕易出手。

起身

盡量讓感應型的忍者加入搜索隊，這樣才能盡快找到。

知道了…

鹿丸…你跟志保在這裡等待連絡。

雖然很不甘心…但也只能這麼做，因為我動不了了…

好吧…活蝓…你去把這件事傳達給村子裡的倖存者，請村子裡的人幫助我們。

是。

知道了。

培因的查克拉流進來了⋯

嗚⋯

啪嘰

小子，振作點！

這樣你就沒辦法靠自己的意志行動了。

我故意沒刺中要害，而且刺得不深，

!?

你是預言之子！也是這個世界的救世主！所以你不能戰敗！

你不能聽他說的那些話！

自來也那小子與死鬼都是因為相信這一點，才會賭上性命的！我不允許你死在這種地方！

!!!?

真是囉嗦的青蛙！

混帳！

我該把你帶走了…

有人來增援…

我不會讓你再對鳴人下手了！

!?

嗯…

快逃啊！妳根本沒辦法…

妳幹嘛跑來！

別胡說八道了！

妳根本不必跑來這麼危險的地方！

‥‥‥‥

這是‥‥我自己的想法‥‥

我會站在這裡，是我自己的意思。

？

‥‥我一直在哭泣，打從一開始就放棄‥‥

甚至還數度差點誤入歧途‥‥

啪嘰

バリサッ・・・

我記得就
像這樣・・・

我的父母親也是
在我眼前，被你
們木葉忍者村的
忍者殺死・・・

因為有愛情才會
出現犧牲・・・並且
出現憎恨・・・

嗚嗚・・・・・・

流流

神羅天征

！

ドス ドス ドス ドス

ゴゴゴゴゴ

嗚…

嗚嗚嗚…

嗯…

他承受住神羅天征…反而是我被反作用力給…

ゴゴゴゴ

ゴゴゴゴ

總之，鳴人身上已經出現六根尾巴！

到…到底該怎麼說呢…

再這樣下去…他說不定會變成九尾妖狐！

好…好壯觀啊…

那是什麼？

鳴…鳴人到底怎麼了？

那不就比那時候更…

六根…

六根尾巴？

活蟲大人，請您立刻叫大家離開這裡。

・・・・・

現在又怎麼了？

老實說，木葉忍者村已經完全被毀滅了！

請各位盡快離開這裡，並且到遠一點的地方去。

這是鳴人擁有的九尾妖狐的力量，

我的分身就跟著鳴人，所以感覺得到。

變成九尾妖狐啊⋯

大和與卡卡西不是在鳴人身上施展了封印術嗎？怎麼會這樣？

是因為雛田小姐⋯

雛田小姐為了保護鳴人，而在他的眼前被打倒。

所以鳴人才會⋯

這就是原因啊⋯

大概是⋯

大和呢？這種時候他跑到哪裡去了？

找到兜了嗎？

112

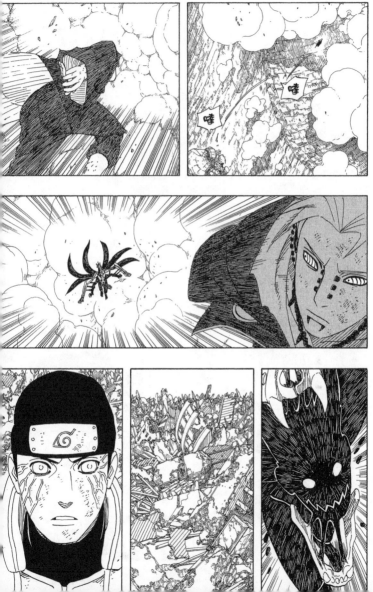

看來是培因
敵不過變成
九尾妖狐的
鳴人，所以
逃走了！

怎麼會
這樣？

鳴人與培
因都離村
子越來越
遠了！

然後想辦法
處理現在的
鳴人！

快趁現
在去找
雛田，

現在不
是笑的
時候！

哈哈…

活該啦！

鳴人變成那樣
之後，應該會
不分青紅皂白
的攻擊別人！

總之要趕
快連絡大
和隊長！

114

吼喔喔喔！

已經夠靠近天道了。

地爆天星。

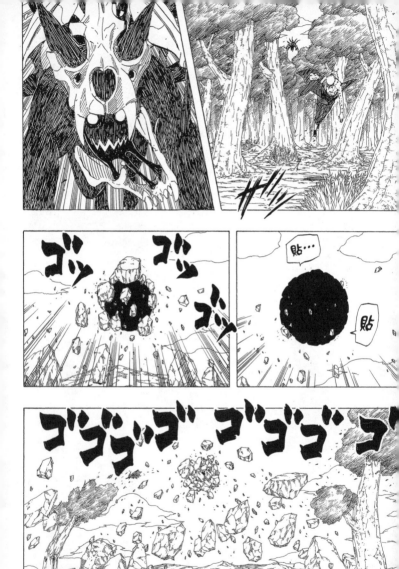

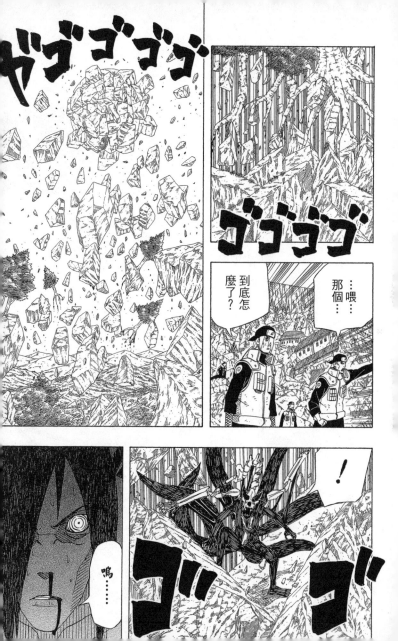

呼 呼

不需要弄出這麼
大的東西吧…

…對手是九
尾妖狐……
不能手下
留情。

…而且跟據說由
六道仙人做出來
的月亮比起來…

這根本不
算什麼。

…總之…這樣就抓
到九尾妖狐了。

呼 呼 呼

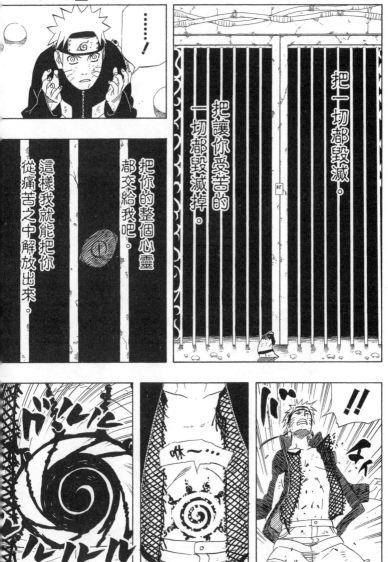

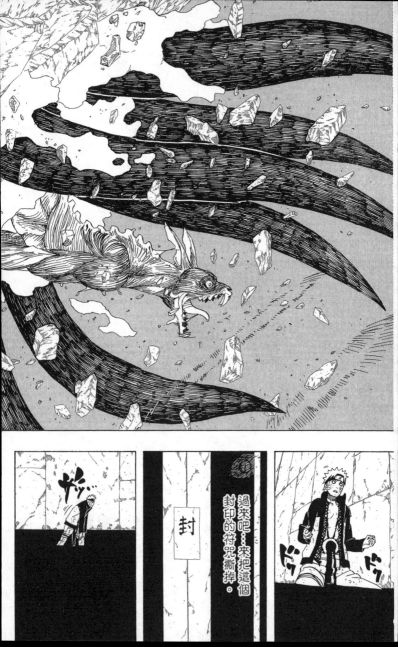

過來吧⋯來把這個封印的符咒撕掉。

第四代…火影……

你是…

喔喔喔！

我對封印式動過手腳，在你讓第八根尾巴從封印中解放出來時，我就會出現在你的意識裡。

但我不太希望這種事情發生…

九尾妖狐…我也不想再見到你了。

封

可是…

我也有點期待見到長大之後的兒子…所以剛好抵消囉。

Congratulations on the 10th anniversary

恭賀連載10週年！
雖然工作很辛苦，
但大家都會替努力的岸本老師加油。
以後請老師繼續注意身心健康，
並且繼續奔馳吧！

村上 正樹

！

啪嚓

咚

嘻嘻…

擦擦

可見蒜山大人想盡量隱瞞跟九尾妖狐有關的情報。

第三代火影好像什麼都沒告訴你…

因為如果被別人知道你是我兒子，就會有危險。

爸爸…

……鳴人，對不起。

！？

嗚
…

你為什麼要把九尾妖狐封印在我這個兒子身上！

你害我過得好辛苦啊！

嗚嗚
…

…

我到底是該高興還是該發飆？

根本就搞不清楚啦！

140

我會把九尾妖狐封印在你的體內，還留下牠一半的查克拉給你，

就是因為我相信你能夠控制這種力量…

因為你是我的兒子。

什麼事情？

…16年前，當九尾妖狐攻擊村子時，

我發現了一件事情。

!?

我會這麼做是有理由的…

那時候有個幕後黑手…

操控九尾妖狐來攻擊村子。

而且那是個實力很強的忍者，

如果沒有特別的力量，根本無法戰勝他。

！

是「曉」的成員之一⋯⋯

就是那個戴面具的男人。

那時候⋯⋯他完全看穿我的行動⋯⋯

他絕不是個省油的燈⋯⋯培因大概是被他利用了。

不！培因痛恨木葉忍者村！

他說以前自己的村子也有同樣的遭遇！

⋯⋯⋯⋯

沒錯⋯⋯

他因大概是

所以他才會被利用。

……

為什麼連那個幕後黑手……

都想對木葉忍者村下手？

被利用？

只要這世間存在著忍者的系統，

說不定就不會有和平的秩序。

培因問了你關於和平的問題……

但要找到答案並不容易……

想要解救自己所珍惜的東西，就會造成戰鬥，

只要有愛存在，同時就會出現憎恨，而憎恨就會利用忍者。

只要有這種忍者的系統存在，

憎恨這種怪物，就會再創造出新的培因。

雖然自來也
老師是被培
因殺死的，

但仔細想想…老師
也可以說是被這個
催生出培因、毫無
秩序的忍者世界給
殺死的…

忍者就是
要跟憎恨
交戰，

每一個忍者
都要跟憎恨
交戰。

自來也老師
把找出結束
這種憎恨的
答案這件工
作託付給你
了。

…………

可是我沒
辦法放過
培因…

我絕不能
放過他！

146

你一定能夠找到這個答案。

……我相信你。

……………

他不再迷惘…

到底怎麼了？

441：螺旋手裏劍VS神羅天征！

嗯？他已經能夠控制九尾妖狐了嗎？？

咳！

咳！

！

！

呼

呼

長門！

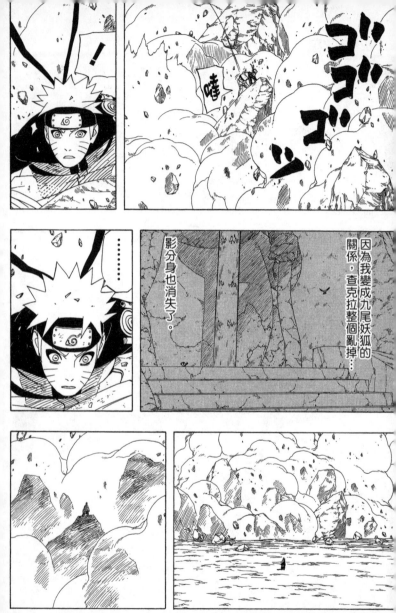

他已經進入仙人模式了…

我本來想看看九尾妖狐的力量到底有多強…沒想到居然連地爆天星都…

真是堅強的傢伙…

噗呼…我還以為死定了咧！

• • • • • •

這…

158

我很擔心你呢。

但幸運的是…你變成九尾妖狐之後施展的攻擊…並沒有傷害到木葉忍者村的人們…

太好了…

真的是太好了…

嗶

鳴人…

……

雛田大人！

你一定能夠找到這個答案。

嘻

…你稍微理解痛楚了嗎？

如果不了解相同的痛楚，就沒辦法真正的理解他人。

……

而且理解他人，也不見得能夠化解人們之間的仇恨。

…這就是道理。

就跟你跑去找佐助根本沒用一樣…

仙人模式……那種難以應付的查克拉手裏劍，似乎只能發射兩次。

而且那還會讓你解除仙人模式。

……看來只好跟你交手了。

如果……那兩次手裏劍都沒打中目標，你就輸定了……

我不會再出現空隙……如果沒打中，我頂多就是把你打個半死再帶走。

……好吧……我只好自己尋找本體了！

你要怎麼找？

我自有辦法。

166

首先是第一次⋯

他想利用煙霧⋯同樣
的戰術對我沒用⋯

ボワッ

ホン ミ

神羅天征

168

這次的火影忍者原創角色最優秀
作品,就是(愛知縣 匿名讀者)
投稿的作品!

匿名讀者將可以得到一張有岸本老師
簽名的複製插圖喔!敬請期待!
我們也將繼續募集原創角色,
請各位繼續踴躍投稿!

寄件地址為
〒119—0163
東京都神田郵便局 私書箱66号
集英社JC
"ナルトオリキャラ係"

※不過只能用明信片寄喔!
千萬不要寄信函來喔!☺

○鬧脾氣的姿勢很可愛。

←岸本老師畫出來的就是這個樣子!

【濃霧】

鳴人靠自己的力量壓抑住九尾妖狐，

目前他正要跟最後一個培因分出勝負。

我建議你們別去，你們去反而會妨礙他。

小李！我們去協助鳴人！

是！

自己壓抑住…

…！

但是…

他一個人去對付把村子弄成這樣的敵人…

鳴人似乎有他的想法，我們就相信他吧。

天道，距離下次使出術還有五秒。

什麼？

居然用影手裏劍假扮…

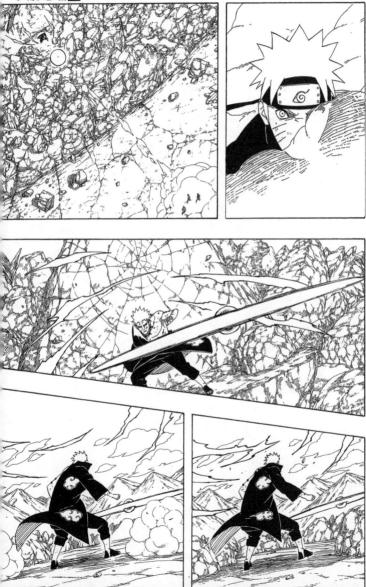

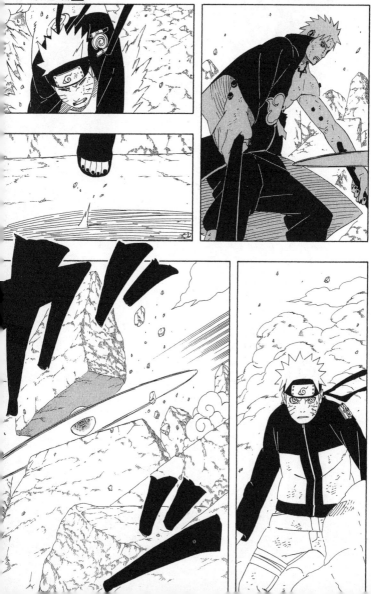

沒想到他在那時候就已經使出影分身了。

距離下次使出術還有四秒。

呼　呼

距離下次使出術還有三秒。

喀吱

兩次…都沒命中…

他完蛋了。

ダッ

不會吧！

ボボボボン

！？

距離下次使出術還有二秒。

距離下次使出術還有一秒。

還有0秒。

螺旋丸!!!

47封印破壞!!!(完)
下集待續

JC08247 C0P192

火影忍者 ⑭

原名：NARUTO—ナルト—⑭

■作　　　者　　岸本斉史
■譯　　　者　　方郁仁
■執 行 編 輯　　沈怡君
■發 行 人　　范萬楠
■發 行 所　　東立出版社有限公司
■東立網址　　http://www.tongli.com.tw
　　　　　　　台北市承德路二段81號10樓
　　　　　　　☎ (02)25587277　　FAX(02)25587296
■劃撥帳號　　1085042-7（東立出版社有限公司）
■劃撥專線　　(02)25587277　分機274
■印　　　刷　　嘉良印刷實業股份有限公司
■裝　　　訂　　台興印刷裝訂股份有限公司
■2009年9月30日第1刷發行

日本集英社正式授權台灣中文版